这是我的书 It's MY BOOK 6级：300字

香香的炒饭

作者：秦志宁（Zhining Chin）
配图：秦志宁（Zhining Chin）

北京语言大学出版社
BEIJING LANGUAGE AND CULTURE UNIVERSITY PRESS

PHOENIX TREE PUBLISHING INC.

识读 米饭 鸡蛋 青菜 吃 糖

句型 先……，再……，然后……

字数 282字

nǐ chī guo zhōng guó de chǎo fàn ma nǐ
你吃过中国的炒饭吗？你
xiǎng bu xiǎng xué yi xué zěn me zuò chǎo fàn
想不想学一学怎么做炒饭？

chǎo fàn yào yòng dào zhè xiē shí cái bái mǐ fàn yí
炒饭要用到这些食材：白米饭一

dà wǎn qīng cài yī dào liǎng kē qiē chéng bàn cùn cháng
大碗；青菜一到两棵，切成半寸长

de xiǎo duàn yí gè dǎ hǎo de jī dàn ròu mò yì xiǎo
的小段；一个打好的鸡蛋；肉末一小

wǎn qiē suì de qīng cōng hé qiē chéng piàn de shēng jiāng
碗；切碎的青葱和切成片的生姜。

chǎo fàn hái yào yòng dào zhè xiē tiáo liào yí
炒饭还要用到这些调料：一
dà sháo yóu liǎng dà sháo jiàng yóu yì xiǎo sháo
大勺油、两大勺酱油、一小勺
táng hé yì xiǎo sháo yán
糖和一小勺盐。

xiàn zài kāi shǐ chǎo fàn
现在开始炒饭！

dì yī bù
第一步

xiān bǎ chǎo guō fàng dào huǒ shang guō rè le
先把炒锅放到火上，锅热了

yǐ hòu fàng yóu
以后，放油。

dì èr bù
第二步

yóu rè le yǐ hòu bǎ qīng cài fàng jin qu
油热了以后，把青菜放进去

chǎo chǎo hǎo hòu zhuāng jin pán zi li
炒，炒好后装进盘子里。

dì sān bù

第三步

bǎ xiǎo cōng hé jiāng piàn fàng jin guō li jiā
把小葱和姜片放进锅里，加
diǎnr yán chǎo yi chǎo
点儿盐炒一炒。

dì sì bù

第四步

zài bǎ ròu mò dào jin guō li chǎo gěi ròu
再把肉末倒进锅里炒。给肉
mò jiā yí dà sháo jiàng yóu chǎo hǎo hòu zhuāng zài
末加一大勺酱油，炒好后装在
xiǎo wǎn li
小碗里。

dì wǔ bù

第五步

wǎng guō li fàng yì xiǎo sháo yóu, bǎ dǎ hǎo

往锅里放一小勺油，把打好

de jī dàn fàng jin qu chǎo, chǎo hǎo hòu zài bǎ ròu

的鸡蛋放进去炒，炒好后再把肉

mò hé qīng cài dōu fàng jin qu yì qǐ chǎo

末和青菜都放进去一起炒。

dì liù bù

第六步

xiàn zài bǎ bái mǐ fàn dào
现在把白米饭倒
jin guō li hé bié de shí cái
进锅里，和别的食材
yì qǐ chǎo rán hòu jiā diǎnr
一起炒。然后加点儿
jiàng yóu táng zài chǎo yì fēn
酱油、糖，再炒一分
zhōng xiāng xiāng de chǎo fàn jiù zuò
钟，香香的炒饭就做
hǎo le
好了。

bǎ chǎo fàn zhuāng zài dà wǎn
把炒饭装在大碗
li chī yì kǒu à zhēn hǎo
里，吃一口，啊，真好
chī nǐ kuài shì yi shì ba
吃！你快试一试吧！

1 你吃过中国的炒饭吗？你想不想学一学怎么做炒饭？

2 炒饭要用到这些食材：白米饭一大碗；青菜一到两棵，切成半寸长的小段；一个打好的鸡蛋；肉末一小碗；切碎的青葱和切成片的生姜。

3 炒饭还要用到这些调料：一大勺油、两大勺酱油、一小勺糖和一小勺盐。现在开始炒饭！

4 先把炒锅放到火上，锅热了以后，放油。
油热了以后，把青菜放进去炒，炒好后装进盘子里。

5 把小葱和姜片放进锅里，加点儿盐炒一炒。
再把肉末倒进锅里炒。给肉末加一大勺酱油，炒好后装在小碗里。

6 往锅里放一小勺油，把打好的鸡蛋放进去炒，炒好后再把肉末和青菜都放进去一起炒。

7 现在把白米饭倒进锅里，和别的食材一起炒。
然后加点儿酱油、糖，再炒一分钟，香香的炒饭就做好了。把炒饭装在大碗里，吃一口
啊，真好吃！你快试一试吧！

1

2

3

4

5

6

看图讲故事

7